JE LIS

AVEC LES ANIMAUX FAMILIERS

Yvette Barbetti

LE CHAT

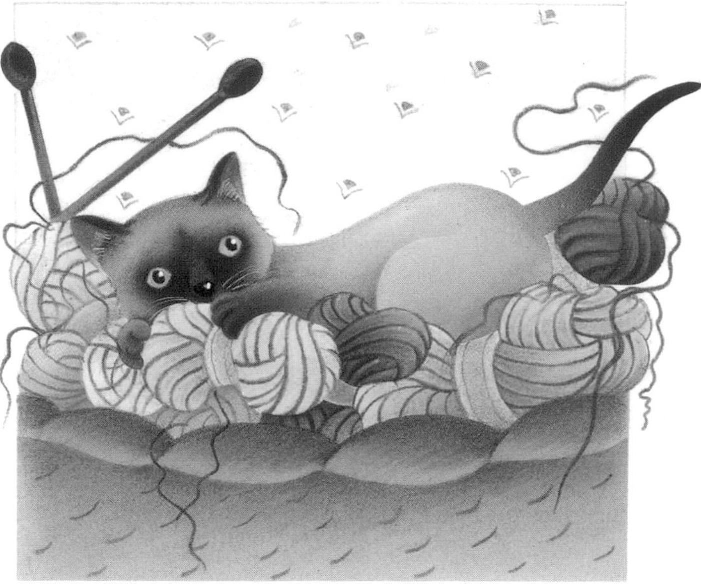

la corbeille

les pelotes de laine

les grains de blé

le réfrigérateur

la souris

le coussin

le bouchon

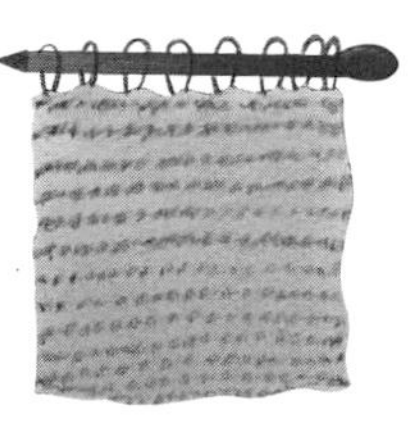

le tricot

le fil

les chiens

la cage

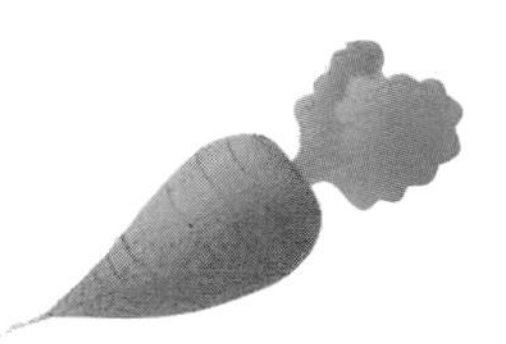

la carotte

les aiguilles à tricoter

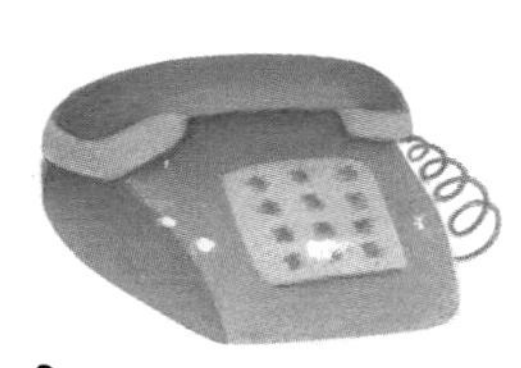

le téléphone

le chausson

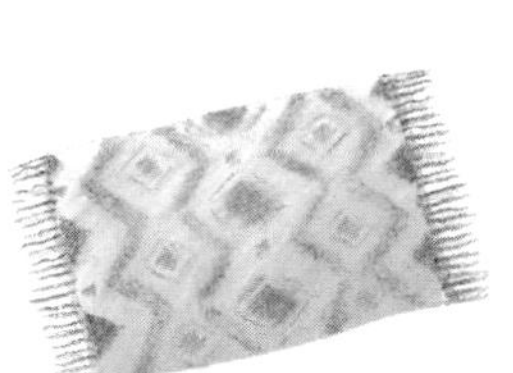

le tapis

le panier

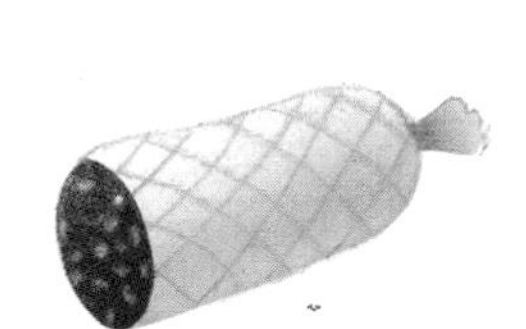

le saucisson

l'oreille

les fleurs

les chatons

le lapin nain

la chaussette

Lito
41, rue de Verdun 94500 Champigny-sur-Marne
Imprimé en CEE
Loi n° 49-956 du 16 juillet 1949 sur les publications destinées à la jeunesse
Dépôt légal : janvier 2005

Miaou ! Voici des petits 
très polissons. Dans la 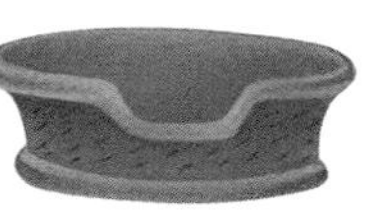 Pipo
a tout emmêlé, les , le 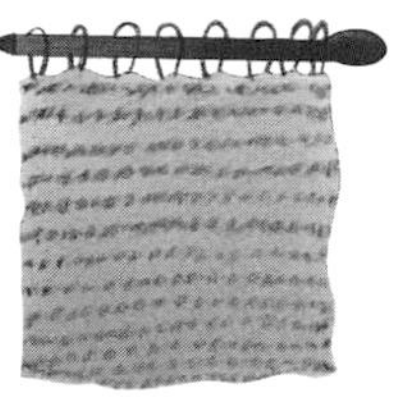
et les  ! Fonfon joue avec un
 et Mimi guette une .
Maman Minette ronronne sur
son  en surveillant les exploits
de ses trois petits galopins.

LE CHIEN

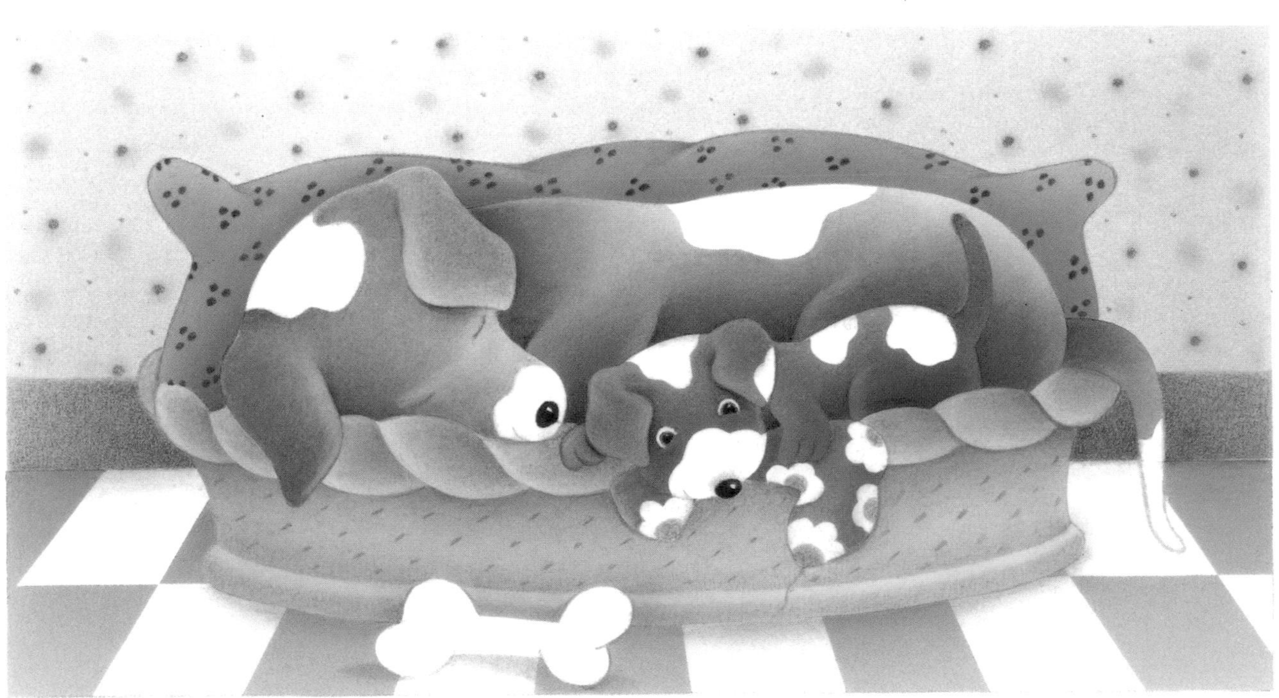

Voici trois petits  coquins !

Zozor mordille un  sur le 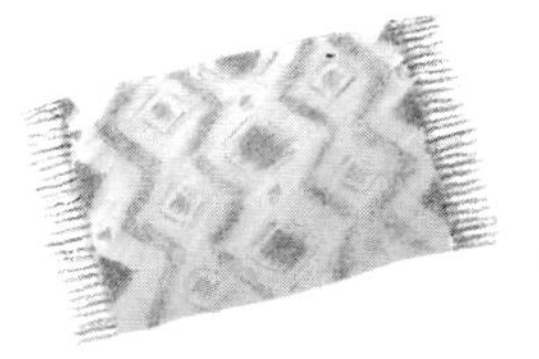 du salon. Dans la cuisine, Nono a renversé le grand  à provisions pour chiper un 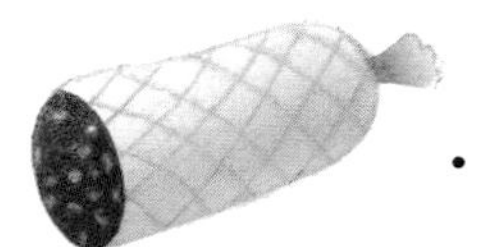.

Blottie contre sa maman dans la 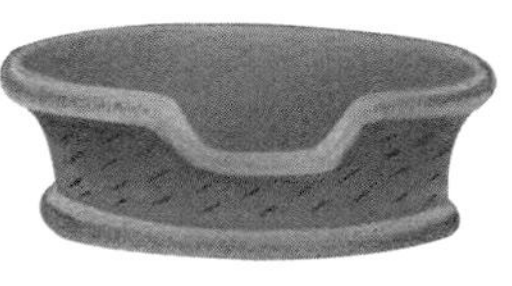, Choupette mâchouille tranquillement une  à .

LE LAPIN NAIN

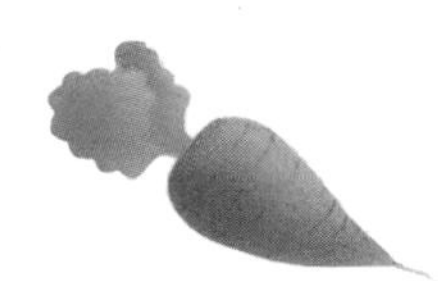

Une  dressée, debout sur ses

pattes arrière, Fifi le  fait le

beau près du . Puis il mordille

le 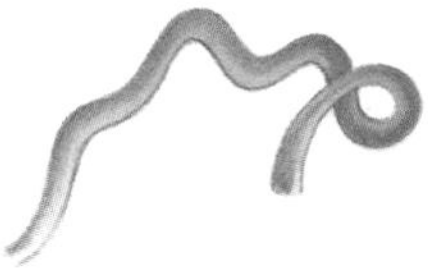 du  , ronge un brin

de moquette, avant de regagner sa

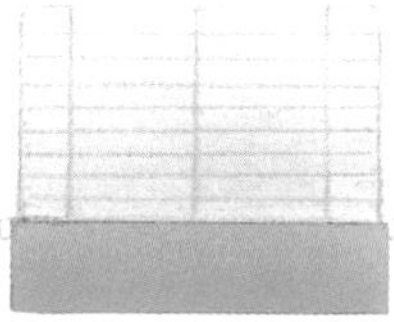

en sautillant . Sa maman

l'attend pour grignoter une

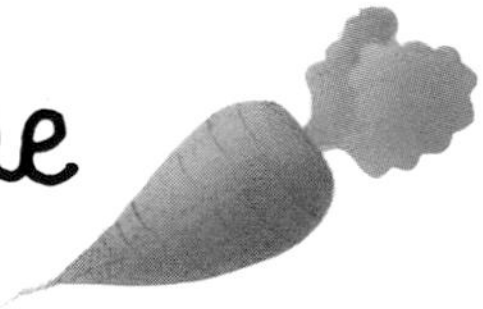

et quelques .

LA SOURIS

Avec son museau pointu, la

Turlututu se faufile dans le 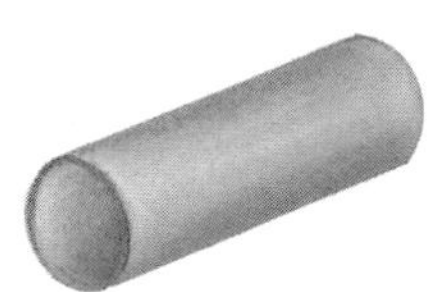

de carton, se cache dans un petit

 et ressort aussitôt ! La queue

en l'air, la tête en bas, elle saute

dans les . Coquette la 

qui fait sa toilette, en a assez de

toutes ces bêtises !

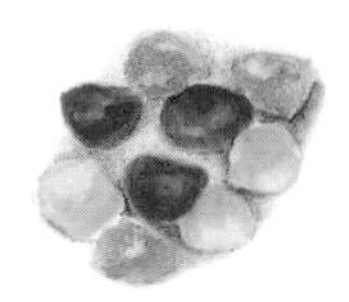

LA TORTUE

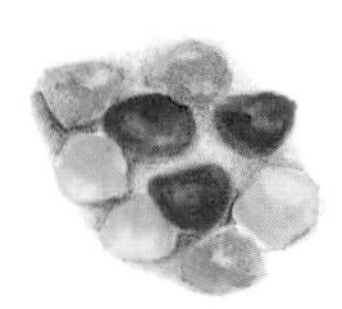

Lulu la  pointe le bout du nez hors de l'eau. Dans son 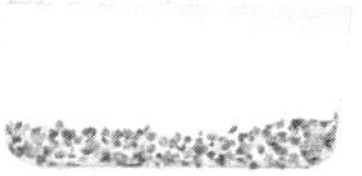 , il y a des 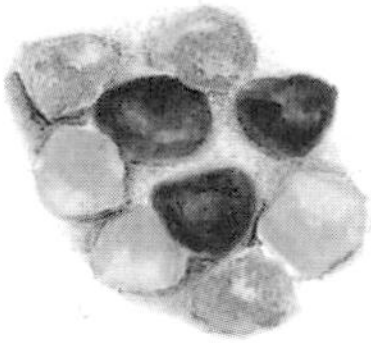 rouges, jaunes et bleus, un  pour se reposer, une  en plastique et des 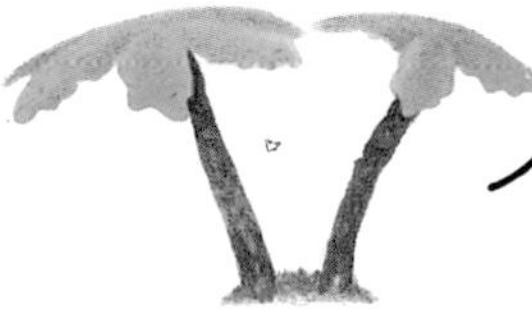 pour s'abriter. Lulu la  sort de temps en temps la tête de sa 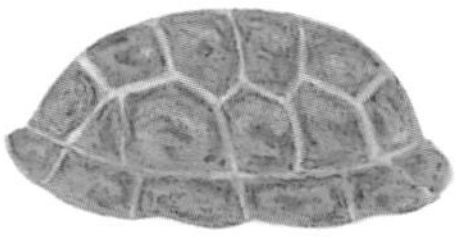 pour voir ce qui se passe.

LE CANARI

Cui-cui ! Les  chantent sur la balançoire. Zozo va faire trempette dans la baignoire et ressort tout ébouriffé. Toc-toc ! Avec son  , il tapote l'  et picore une feuille de  . Lili dans son 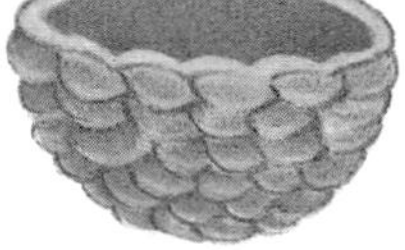 couve deux petits blancs en gazouillant.

LE HAMSTER

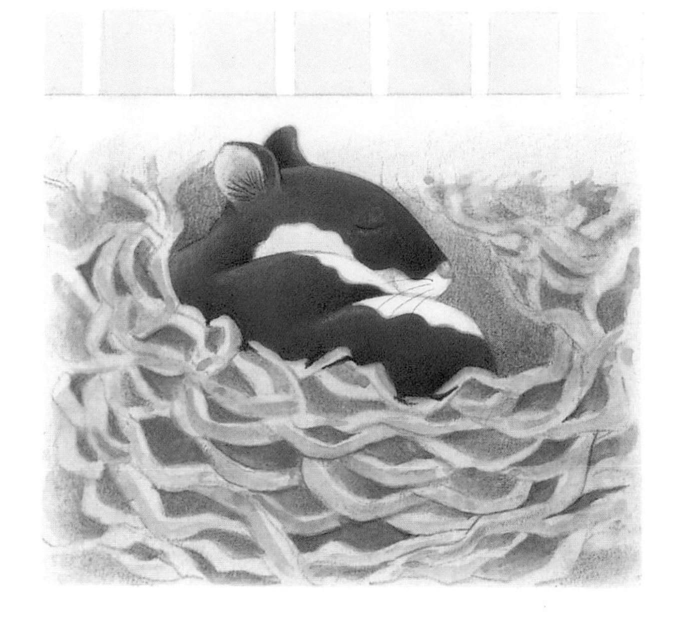

Dans sa 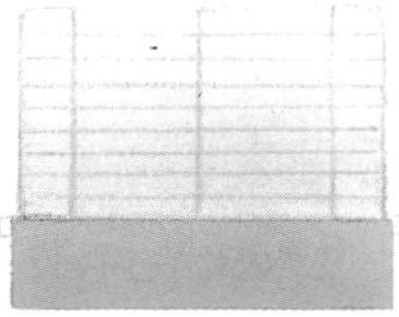 , Pipo le  est plutôt sage. Roulé en boule dans son nid, il s'est endormi. La nuit venue, il fait beaucoup de bruit. Des acrobaties sur la  , un petit tour à l'  , puis il grignote un 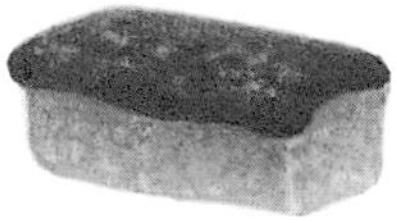 , trois  avant de terminer par une petite toilette.

la tortue — les canaris — les cacahuètes — la souris grise

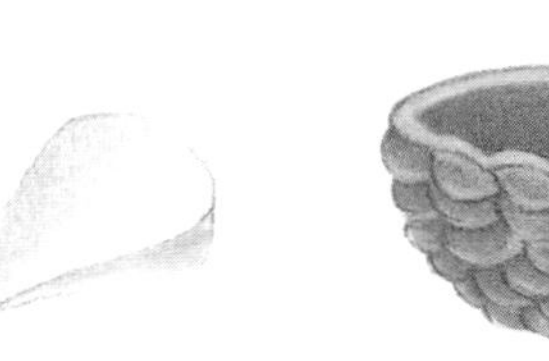

le bec — le nid — le hamster — les copeaux de bois — l'os de seic

l'aquarium — la grenouille — la souris blanche — la carapace

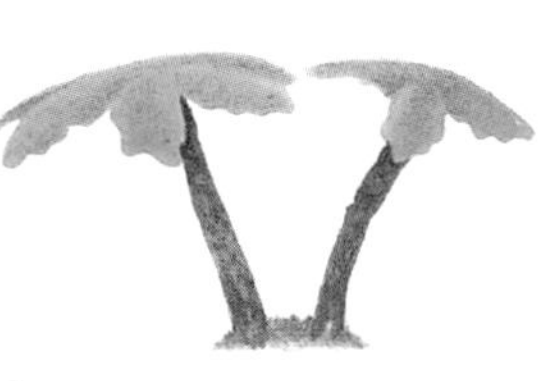

le pont — la salade — les palmiers — le biscuit — l'abreuvoir

le pot — la balançoire — le rouleau — les œufs — les caillou